Original
SUDOKU
Original

Original
SUDOKU
Original

THE ORIGINAL BRAIN WORKOUT FROM JAPAN
LE REMUE-MÉNINGES ORIGINAL DU JAPON

Lisa Penttila

Telegraph Road
ENTERTAINMENT

Telegraph Road
ENTERTAINMENT

Sudoku
Published by Telegraph Road
© Telegraph Road 2015

Cover and interior design:
Michael P. Brodey

For special bulk purchases please contact:
sales@telegraph-rd.com

For other inquiries please contact:
inquiries@telegraph-rd.com

Telegraph Road
12 Cranfield Road,
Toronto, Ontario, Canada
M4B 3G8

Printed in Canada

Sudoku
publié par Telegraph Road
©Telegraph Road 2015

Conception de la couverture et mise en page :
Michael P. Brodey

Pour achats spéciaux en bloc, communiquer avec:
sales@telegraph-rd.com

Pour toute autre demande, s'adresser à:
inquiries@telegraph-rd.com

Telegraph Road
12 Cranfield Road,
Toronto, Ontario, Canada
M4B 3G8

Imprimé au Canada

INTRODUCTION

Like thousands of people around the world, I have become addicted to sudoku puzzles. To satisfy my cravings for more sudoku, I decided to create my own collection. And now I'm sharing this collection with you. In it you will find:

- **17** very easy

- **30** easy

- **30** medium

- **26** hard

- **47** very hard

I hope you enjoy them as much as I have.

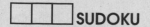

HOW TO PLAY SUDOKU

Sudoku is played on a grid that is nine squares high and nine squares wide. The grid is then divided into smaller boxed areas that are 3 squares high and 3 squares wide (here called 3x3s). To complete the puzzle, you must fill in each row, column, and 3x3 box with the numbers 1 to 9. However:

- Each number can appear only once in each row.

- Each number can appear only once in each column.

- Each number can appear only once in each 3 x 3 box.

Above all, the ultimate challenge is to get faster!

Apparently, there are 6,670,903,752,021,072,936,960 possible games, so the first one is just the beginning. By solving these 150 puzzles, you will be just warming up!

Enjoy!

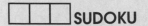

TIPS AND STRATEGY

Sure Thing Strategy

This strategy will give you an easy jump-start on your way to complete a sudoku board. Its idea is to find a "sure number" to as many squares within the grid as possible.

How do you do it? First, ask yourself, which number is missing?

Choose a row, column, or 3x3 that has many numbers revealed. Choose an empty square in it.

6			④		3	5	8
3		4	1	6			2
8		2	3	9			6
	3	1		5		9	
	6	④	**A**	7		1	
	8		1		2	6	
			8	1	6		9
1			7	9	5		4
5	9	6		3	**C**			1

For example, in the grid above, look at the middle column. The box in the middle is marked as **A**.

You know there is one number missing, so you go through the column and figure out which number hasn't been used. In our case **A** is 2.

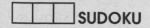

6				④		3	5	8
3		4	1	6				2
8		2	3	9				6
	3	1		5			9	
	6		④	**A**	7		1	
	8			1		2	6	
				8	1	6		9
1				7	9	5		4
5	9	6		3	**C**			1

Now take a look in the columns or rows within adjacent 3x3s. You are looking for a number that is in two out of the three columns or rows.

For example, in our grid the three columns in the middle have the number 4 in columns 4 and 5 (circled) but not in column 6.

Since there is a 4 in the top and middle 3x3s, you know that you can only add the number 4 in the lower 3x3. You now look for a place to put the 4 in the sixth column of the lower 3x3.

You can see that in column six of the lower 3x3, there is only one open space. It is marked **C**. Therefore, this is the place where you put the number 4.

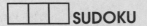

Elimination Strategy

This strategy aims to quickly eliminate as many numbers as possible for each square. You can then whittle down the remaining possibilities to the correct number as you work through the puzzle.

How do you do it?

- Choose any 3x3 box you like. Choose one square within it.
- Eliminate numbers that cannot be in this square.
- Write within the empty square the possibilities left.
- Fill all the 3x3s in this way and then start to place sure numbers.

In the sudoku above, for example, take the upper left 3x3 box. You have an empty place in the first row of the second column. You go through the numbers 1 to 9. Write in lightly all the possible numbers that can be placed in this box. In this case you should have 1 and 7. Let's go through the numbers to explain why each was eliminated:

2–because it exists in the 3x3 box.
3–exists in the column and 3x3 box.
4–exists in the 3x3 box.
5–exists in the row.
6–exists in the 3x3 box.
8–exists in the column.
9–exists in the column.

Only 1 and 7 could fit. Which one is the correct number will become clear as you work through the puzzle.

INTRODUCTION

Comme des milliers de gens dans le monde, je suis devenu fanatique des casse-tête Sudoku. Dans le but d'en avoir davantage, j'ai décidé de créer ma propre collection. Je vous offre de la partager avec moi. Dans ce recueil, vous trouverez :

- **17** casse-tête très faciles

- **30** casse-tête faciles

- **30** casse-tête moyens

- **26** casse-tête difficiles

- **47** casse-tête très difficiles

J'espère que vous les apprécierez autant que moi.

COMMENT JOUER AU SUDOKU

Le Sudoku se joue sur une grille de 9 carreaux de hauteur par neuf carrés de largeur. La grille se divise ensuite en petites zones de 3 carreaux de hauteurs par 3 carreaux de largeur (que l'on appelle des 3x3). Pour compléter le casse-tête, vous devez remplir chaque rangée, chaque colonne et boîte 3x3 avec les chiffres 1 à 9. Toutefois :

- Chaque chiffre ne peut apparaître qu'une seule fois dans une rangée..

- Chaque chiffre ne peut apparaître qu'une seule fois dans une colonne.

- Chaque chiffre ne peut apparaître qu'une seule fois dans une boîte 3x3.

Le défi ultime consiste à le faire rapidement!

Il semble qu'il y ait 6 670 903 752 021 072 936 960 jeux possibles alors le premier n'est que le début. En trouvant la solution à ces 150 casse-tête, vous ne ferez qu'en avoir une petite idée!

Amusez-vous!

TRUCS ET STRATÉGIE

Stratégie «sûre»

Cette stratégie vous donnera un coup de pouce pour débuter une planche Sudoku. L'idée est de trouver un chiffre «sûr» pour autant de cases que possible dans la grille.

Comment y arrivez-vous? Tout d'abord, demandez-vous quel chiffre manque.

Choisissez une rangée, une colonne ou un 3x3 qui a autant de chiffres affichés que possible. Choisissez une case vide à l'intérieur.

				④		3	5	8
6				④		3	5	8
3		4	1	6				2
8		2	3	9				6
	3	1		5		9		
	6		④	A	7		1	
	8			1		2	6	
				8	1	6		9
1				7	9	5		4
5	9	6		3	C			1

Par exemple, dans la grille précédente, regardez la colonne du milieu. La case du milieu est marquée d'un A.

Vous savez qu'un chiffre manque alors vous regardez toute la colonne et essayez d'identifier le chiffre qui n'a pas été utilisé. Dans la case A, ce chiffre est le 2.

6				④		3	5	8
3		4	1	6				2
8		2	3	9				6
	3	1		5			9	
	6	④	A	7			1	
	8			1		2	6	
				8	1	6		9
1				7	9	5		4
5	9	6		3	C			1

Vous regardez ensuite les colonnes et les rangées ayant des 3x3 adjacents. Vous recherchez un chiffre présent dans 2 des 3 colonnes ou rangées.

Par exemple, dans les trois colonnes du milieu de notre grille, le chiffre 4 est présent dans les colonnes 4 et 5 (encerclés) mais pas dans la colonne 6.

Étant donné que le chiffre 4 existe dans les 3x3 du haut et du milieu, vous savez que vous ne pouvez ajouter le chiffre 4 que dans le 3x3 du bas. Vous cherchez ensuite un endroit où placer le 4 dans la sixième colonne du 3x3 du bas.

Vous constaterez que dans la colonne six du 3x3 du bas, il n'y a qu'un seul espace ouvert. Il est indiqué d'un C. Par conséquent, c'est l'endroit où vous inscrirez le chiffre 4.

14

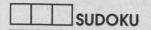
Stratégie «d'élimination»

Cette stratégie vise à éliminer rapidement autant de chiffres que possible pour chaque case. Vous pouvez alors réduire les possibilités au chiffre recherché en évoluant dans le casse-tête.

Comment procéder?

- Choisissez une boîte 3x3. Choisissez une case dans cette boîte.
- Éliminez les chiffres qui ne peuvent être utilisés dans ce carré.
- Écrivez les possibilités dans la case vide.
- Remplissez toutes les boîtes 3x3 de la même manière et par la suite, placez les bons chiffres aux bons endroits.

Dans la grille précédente, par exemple, prenez la boîte 3x3 du coin supérieur gauche. Vous avez une case vide dans la première rangée de la deuxième colonne. Vous passez en revue les chiffres 1 à 9. Écrivez aussi pâle que possible tous les chiffres pouvant être placés dans cette case. Dans le cas présent, vous devriez avoir les chiffres 1 et 7. Revoyons chaque chiffre pour expliquer pourquoi il est éliminé.

2 – parce qu'il est présent dans la boîte 3x3
3 – parce qu'il est présent dans la colonne et la boîte 3x3
4 – parce qu'il est présent dans la boîte 3x3
5 – parce qu'il est présent dans la rangée
6 – parce qu'il est présent dans la boîte 3x3
8 – parce qu'il est présent dans la colonne
9 – parce qu'il est présent dans la colonne

Seuls les chiffres 1 et 7 pourraient occuper cette case. Lequel de ces deux chiffres se précisera en travaillant dans le casse-tête?

6	7	1	5	8	3	2	9	4
5	4	9	6	1	2	3	7	8
2	8	3	4	7	9	5	6	1
9	1	4	7	2	5	6	8	3
7	2	6	9	3	8	4	1	5
8	3	5	1	4	6	9	2	7
1	6	8	3	9	4	7	5	2
3	5	2	8	6	7	1	4	9
4	9	7	2	5	1	8	3	6

TIME/TEMPS:

7	1	3	6	2	4	9	8	5
9	4	5	8	7	3	6	1	2
6	8	2	9	1	5	7	4	3
1	9	6	7	4	2	3	5	8
5	7	8	1	3	6	4	2	9
2	3	4	5	8	9	1	6	7
3	5	9	4	6	8	2	7	1
8	6	7	2	9	1	5	3	4
4	2	1	3	5	7	8	9	6

TIME/TEMPS:

1	3	7	6	2	8	5	4	9
4	5	8	3	9	1	6	7	2
9	6	2	7	4	5	8	1	3
2	4	6	9	1	7	3	5	8
7	8	5	4	3	6	9	2	1
3	9	1	5	8	2	4	6	7
5	2	3	8	7	4	1	9	6
6	7	9	1	5	3	2	8	4
8	1	4	2	6	9	7	3	5

TIME/TEMPS:

5	8	9	3	1	4	2	6	7
4	1	3	5	6	7	8	9	
2	6	7	2	9	8		5	
		1	4			6	7	5
6	3	4	7	5	1	9	8	2
7	5	8	6			1		
8	4	2	9		5		1	6
1	7	6	8	4		5		9
3	9	5	1		6			8

TIME/TEMPS:

		9	5			1		
	1	2	6					
7	4					8		2
8	9			5				
			4		2			
				3			8	7
4		1					6	3
					7	5	1	
		7			1	9		

TIME/TEMPS:

9				3	6		7	
					2	1		8
		2			5		9	
						3	1	2
4								9
6	7	3						
	4		3			8		
2		8	5					
	5		6	1				7

TIME/TEMPS:

21

7		6						
			6			8	2	
4		8	5			3	6	
	5	9			1			
				5				
			4			7	9	
	7	1			4	5		8
	8	5			7			
						6		1

TIME/TEMPS:

			4			2	1	
				5				8
			6		3			9
2		1			4	5		
	7			9			8	
		6	8			7		1
4			1		6			
6				8				
	2	8			5			

TIME/TEMPS:

	8		3	9		4		1
7								
				4		6		9
6					2			
5		4		3		2		8
			9					7
3		2		5				
								5
4		7		2	6		8	

TIME/TEMPS:

24

	5		4	6				7
6				7			1	
		9	3					
3		6	2					
1	2						6	8
					8	7		3
					5	6		
	9			4				2
8				9	3		4	

TIME/TEMPS:

		6		2				9
	7	5	3		6			
3	1							
	9				5		7	
5								1
	3		7				4	
							1	4
			4		9	6	8	
2				5		7		

TIME/TEMPS:

			3	6		8	9	
				8				6
			7					4
1		6	4					
2	5			7			1	9
					1	5		2
7					6			
8				9				
	6	1		2	3			

TIME/TEMPS:

27

	1				4		7	5
4		6						3
	3	7			9			
				1		9		4
			6		2			
8		1		4				
			4			7	5	
2						3		6
3	8		5				2	

TIME/TEMPS:

		1		3	4			
		5		8		4	6	
9	2						8	
								2
1	6						5	7
3								
	1						4	9
	7	8		9		3		
			6	5		2		

TIME/TEMPS:

29

			3	6		9		
				4	9			
					2	7		8
2						8	1	
8	6						5	2
	7	3						4
3		2	1					
			7	8				
		1		2	4			

TIME/TEMPS:

1		4			5		9	
					7	8		3
6		3					2	
				8			6	1
			6		3			
2	5			1				
	3					2		6
8		7	1					
	2		3			1		4

TIME/TEMPS:

	2			4	7			8
9	7		3	5				
	6		4					1
1	8						2	7
5					9		6	
				3	5		1	4
6			1	9			3	

TIME/TEMPS:

8		4						
	5				7	6		
6		1	9				5	
		5		6			4	
			7		2			
	9			3		7		
	1				9	8		3
		9	5				7	
						5		2

TIME/TEMPS:

7		6	8				3	
						4		8
4					6		9	
5				8		1		
			9		1			
		7		4				6
	5		7					4
1		9						
	6				8	5		7

TIME/TEMPS:

1				3				
	2	3				5		
	5				9	1	2	
			1			4		
7				2				6
		9			4			
	3	7	8				6	
		4				3	8	
				4				1

TIME/TEMPS:

							3	5
					8	6		9
		7	2				4	
		4		7	3		2	
			4		9			
	3		1	2		7		
	6				2	3		
3		2	6					
4	1							

TIME/TEMPS:

6		3	8					
			1			8		
2		4				6	9	
9	3				8			
			7				5	6
	4	5				2		8
		8			1			
					3	9		7

TIME/TEMPS:

			1	9	3		8	
					6	7		2
							6	
9					2		1	5
1								6
8	2		3					7
	1							
4		7	2					
	9		8	7	1			

TIME/TEMPS:

					6	8		
	6	1			3			
	3			9		4		7
							4	3
		8				6		
4	5							
9		2		1			5	
			5			1	2	
		6	7					

TIME/TEMPS:

	1		8	2				
2				9	6	4		
							5	
1					2		6	
8	5						1	3
	2		9					5
	6							
		1	5	3				7
				8	4		9	

TIME/TEMPS:

		6						9
			9		5	1	6	
8			4				2	
	1	2					3	
				8				
	6					4	7	
	2				6			7
	4	7	3		9			
6						2		

TIME/TEMPS:

	8			9				4
2					1			
		4			2	6		
			1			8	3	
3								2
	5	7			9			
		5	3			1		
			4					9
1				5			6	

TIME/TEMPS:

					7	2		8
				6			1	
		8		9				7
			4		2			1
	1	5				4	3	
9			3		8			
5				4		6		
	3			2				
7		4	9					

TIME/TEMPS:

	2	7						
1	5				4			
3					2	9		
			8	1		3	4	
			6		3			
	3	6		4	7			
		8	9					5
			3				8	7
						6	1	

TIME/TEMPS:

44

	1		3	8				
2		9						
	8			6	7			
6					1	9		
9		7				4		2
		3	7					5
			8	7			3	
						8		7
				1	3		5	

TIME/TEMPS:

				6	5			
	9		7			6		
			3			1	7	
	4	5			8			6
3								4
1			4			2	3	
	2	4			9			
		8			1		9	
			5	8				

TIME/TEMPS:

		8		1	6			
			5			2		
7		2	3				1	
	7	3						6
1				7				8
2						5	7	
	8				4	7		3
		9			5			
			9	3		1		

TIME/TEMPS:

	9		3					
7				8		3	9	
					2		6	
3					8	5		
	8			3			7	
		5	6					4
	3		9					
	7	4		2				5
					4		1	

TIME/TEMPS:

	6			7				
7				4	2		5	
					9	1		
			5			6	9	
3	7						1	4
	8	6			7			
		8	7					
	4		1	3				9
				2			6	

TIME/TEMPS:

9	3				7			
7	5		3				1	
				5				
	8		5	3				4
		9	6		1	5		
3				4	9		2	
				1				
	2				3		6	5
			9				3	2

TIME/TEMPS:

		3	5			7	1	
	7							9
9		2						5
1			8	5				
			7		2			
				6	9			4
5						2		8
6							7	
	4	8			5	9		

TIME/TEMPS:

				4			5	
	5	8	3					1
	9	6		7				
	3							
5		9		1		6		8
							2	
				2		1	4	
1					3	2	6	
	7			6				

TIME/TEMPS:

		9			2	5		
	3				8			
5				9		7		3
					7		3	8
		2				4		
8	1		9					
9		3		1				4
			6				7	
		6	8			1		

TIME/TEMPS:

				9	5	2		
	1		7				4	
		8		2				9
	5							1
7		9				5		3
4							9	
8				4		6		
	3				7		8	
		6	5	8				

TIME/TEMPS:

								4
			1	6	8			
		9			7	1		
	6		8			5	3	
	3						7	
	7	2			5		8	
		4	9			7		
			6	3	2			
8								

TIME/TEMPS:

		4	2		5			9
		2				7		
7	1	3					8	
2			3					5
6					2			4
	3					2	5	7
		8				6		
5			1		6	4		

TIME/TEMPS:

	4		2	6			7	
1	6		4					8
		9						
3	1							
4				5				3
							5	1
						1		
8					4		9	5
	3			7	2		6	

TIME/TEMPS:

	3		4		6			
6						8		
				3			1	
8			3	4				2
		9	8		7	1		
4				6	1			3
	8			2				
		5						9
			7		3		4	

TIME/TEMPS:

	6		7					
7		4	8		3			
	8			5				
4	1				9		2	
		3				6		
	2		3				1	8
				1			3	
			5		6	9		1
					4		5	

TIME/TEMPS:

59

4			5					
		9		8	3			
	6					5		
5				3			1	
	4		8	5	7		9	
	8			4				6
		1					8	
			6	1		2		
					2			7

TIME/TEMPS:

		4		9				6
				1		2		
2		6	7				9	
		8			2			
3	2						6	8
			9			5		
	9				7	3		4
		1		5				
8				4		1		

TIME/TEMPS:

4	9				7	5		
1	5						2	
			4					3
		1	9		2			6
				8				
6			5		1	4		
3					4			
	6						1	9
		5	8				4	2

TIME/TEMPS:

			3			7		
	9			5	1			
		1	6					4
7		8			2		5	
	4			7			6	
	2		9			3		7
5					8	1		
			5	1			3	
		3			9			

TIME/TEMPS:

	4				8	3		
8			4			2		
			9	1			7	8
	2	5						7
		3		8		9		
7						6	2	
5	6			4	9			
		2			5			3
		4	8				9	

TIME/TEMPS:

					4	8		
	1	8	9				5	
	3		5					1
	6	3			5			8
				8				
5			7			3	4	
6					7		9	
	4				9	7	6	
		9	1					

TIME/TEMPS:

2		9	3					
	4			8	6			
5		8				7		
4					5		8	
	8						3	
	1		2					7
		4				9		5
			1	4			7	
					3	1		6

TIME/TEMPS:

		5	9				3	
	2		5		4			1
7				1		2		
3	5						7	
		1				5		
	6						9	3
		7		6				9
1			2		8		4	
	4				5	6		

TIME/TEMPS:

3								2
					5	3	4	
		8			6	9	1	
				8		1	6	
			1		3			
	9	7		6				
	4	6	3			5		
	7	1	4					
2								8

TIME/TEMPS:

				4			7	
	7		3					8
			2		5	3		
	5	8			9	1		
4				1				2
		1	7			9	5	
		5	8		3			
7					4		8	
	4			6				

TIME/TEMPS:

	3		4		1			
6		9		5				
	2		8			4		
2		1						9
	8						4	
7						8		6
		3			8		7	
				7		1		5
			1		6		8	

TIME/TEMPS:

8		2	1					4
	1				7		9	
4				9	2			
7						6	5	
		4				1		
	5	1						7
			4	2				8
	8		9				7	
3					5	9		1

TIME/TEMPS:

			3			6	9	
	4	7	8					1
	9							8
2	1				6			
				2				
			5				7	3
9							8	
8					3	4	1	
	2	3			8			

TIME/TEMPS:

1				7				
		5	9	3				
	7				5	3		
	3				2	9		
6	9						7	8
		2	8				5	
		1	4				3	
				1	9	5		
				6				4

TIME/TEMPS:

6		4	9	5				
		3			8			
8	5					7		
7			8	2			4	
3			1		5			9
	6			4	9			2
		7					2	3
			7			4		
				8	2	5		7

TIME/TEMPS:

	7	8						
9	4		8					
1			6	7				
	6	2		1				
		5	9		7	1		
				3		4	5	
				8	6			2
					4		8	9
						6	4	

TIME/TEMPS:

		6					4	9
				9	5			6
1		3	2					
		8			4		6	
	7						8	
	1		6			9		
					3	8		5
8			5	7				
3	6					7		

TIME/TEMPS:

	8	6					4	
2							1	3
3				9	2			
				1		8		
		5	8		9	3		
		1		5				
			5	3				9
9	5							6
	6					7	5	

TIME/TEMPS:

7				1				3
		5			4	7		
	3				6		9	
					5	1	8	
4				8				5
	8	1	7					
	2		1				4	
		8	9			3		
1				4				8

TIME/TEMPS:

	1				4	3		5
3			8	6			9	
								6
	3		1					7
	8			7			3	
1					9		4	
9								
	2			8	6			9
8		6	7				5	

TIME/TEMPS:

		1		3	5	2		
	4			1				
3			8			7		1
		7						4
1	5						6	2
6						3		
5		6			1			9
				4			7	
		3	2	7		1		

TIME/TEMPS:

8		7						2
	6			2		3		
1						7	9	
				6	9			
	3		2		7		1	
			5	4				
	8	2						4
		5		9			8	
4						1		3

TIME/TEMPS:

					4		1	
		9			1		8	2
	2			6		7		
					9		7	3
		6		8		2		
2	1		3					
		1		5			6	
5	7		9			4		
	9		4					

TIME/TEMPS:

		4						1
				1	7	5		
6					5		8	
					8	6	7	
	6			2			4	
	2	8	3					
	3		9					4
		6	1	4				
1						3		

TIME/TEMPS:

2						3	5	
			3				6	2
			6			1		8
	7		6		4			
		2		1		5		
			9		3		4	
5		8		3				
6	4				1			
	2	1						6

TIME/TEMPS:

				4				
	7	1	5					
	3		1		7	8		
	9	2	6			5		
8								2
		6			5	9	4	
		5	7		4		9	
					8	7	2	
			3					

TIME/TEMPS:

2		4				1		
	9				4		8	
7				3				5
				8			5	
		7	1	5	6	8		
	1			4				
1				6				4
	7		5				6	
		2				3		7

TIME/TEMPS:

			5		2	3		
				7	6	9		
							6	7
1			7				2	3
	2			4			1	
9	7				1			8
2	8							
		7	2	6				
		3	4		8			

TIME/TEMPS:

	7					2		9
4	6				3			
		1		4				6
				7			6	
		3	4		6	1		
	1			9				
9				1		8		
			7				5	3
2		6					1	

TIME/TEMPS:

					5	1		
				2	6	9	3	
							5	8
			4		9		8	1
	3						6	
4	1		7		3			
5	4							
	6	3	5	7				
		8	9					

TIME/TEMPS:

89

	3	1		6			4	
2							8	6
6					4			
			9		7	1		
5								4
		4	8		3			
			3					2
3	6							1
	9			2		5	3	

TIME/TEMPS:

	5							
6					4	8	3	
		9	1	5			4	
		4			7		2	
		1		8		3		
	9		2			1		
	2			9	6	4		
	7	6	8					2
							8	

TIME/TEMPS:

7		4		1	5			
	8							
3		6		7				
			5		1			3
2		9				8		5
4			3		9			
				6		3		7
							9	
			4	5		6		1

TIME/TEMPS:

6			4					
		2				6	7	
	4			6			5	
2				3	4			
		1	9		6	5		
			8	1				6
	3			8			1	
	9	7				2		
					5			7

TIME/TEMPS:

				7		3	8	
	8			1	4			6
			5					9
		1					7	
2	4						1	8
	6					2		
3					5			
4			1	6			5	
	1	8		9				

TIME/TEMPS:

					8		1	
			6				3	7
			7	3		8		
	4	5			1			8
		8				2		
7			3			5	4	
		2		9	6			
3	9				5			
	6		1					

TIME/TEMPS:

95

					2	3	1	
					5		9	6
			3					8
		6			8		3	9
			1					
2	4		9			7		
5					3			
8	6		4					
	1	9	6					

TIME/TEMPS:

	7			1		4	2	
6	8							5
			5			3		6
		9		8				
5			3		9			1
				2		8		
7		3			2			
8							5	3
	5	4		6			8	

TIME/TEMPS:

	5	4		1		9		
6					3		1	
9				5				7
			1				8	
1		9				3		5
	8				9			
8				4				3
	2		6					8
		1		9		7	4	

TIME/TEMPS:

			1		6			7
		2	8				9	
	4	1		5				
8	5							9
		3				2		
2							7	3
				1		6	5	
	1				8	9		
5			3		2			

TIME/TEMPS:

		5	2					8
	4			6			9	
9		7			4			
7			1			4		
	1						6	
		6			2			3
			4			5		9
	2			5			7	
4					1	3		

TIME/TEMPS:

		5		9				4
	6	7	5					
9	1				8			
	5				6	4		
6								8
		4	7				2	
			1				6	7
					4	9	8	
3				8		1		

TIME/TEMPS:

		5		2		3		1
						2		
2			3			7	8	9
		6			4			
7								4
			9			1		
1	6	9			8			5
		8						
5		2		6		8		

TIME/TEMPS:

1	6		7				5	
2			6					8
					9	1		
7	3				5	2		
		4	2				1	7
		7	4					
3					8			6
	4				1		3	9

TIME/TEMPS:

		3				1	6	
	1						7	3
7		9			1			5
				7		2		
			4		9			
		8		3				
6			5			7		4
1	8						3	
	9	4				8		

TIME/TEMPS:

			6	2		3	8	
				7				5
		3			5			7
2						4		
7	8			4			2	3
		1						9
6			5			9		
9				1				
	1	2		6	3			

TIME/TEMPS:

	5	4		1				
6	7							
8			3		4			
		6	4	5		3		
2			1		8			5
		5		2	9	1		
			5		2			3
							5	6
				7		8	4	

TIME/TEMPS:

			3		1	5		
	2			5		1		
							8	6
7				6	2			3
	1		4		3		5	
6			1	8				9
1	4							
		9		4			6	
		6	2		8			

TIME/TEMPS:

	2			7	5		8	
6	3							7
			1					
		4		3				6
5			2		8			4
2				5		8		
					1			
3							4	2
	9		3	8			1	

TIME/TEMPS:

	1			6		4		9
8								
			3		1			2
		4			9	8		
9								6
		1	2			9		
5			7		4			
								8
4		2		5			7	

TIME/TEMPS:

	1				7			
5	7			8			9	
		6		4	5			
						7		6
	4	1		9		3	5	
7		8						
			3	6		5		
	3			1			6	9
			8				4	

TIME/TEMPS:

1					8	3		
	6	8	1					
	2				9			8
	9		5			4		2
				3				
2		5			4		8	
4			7				3	
					1	2	5	
		7	8					4

TIME/TEMPS:

	4		6	9				
8					5		9	
		1				2		
3				6			8	
5			7		1			3
	8			5				4
		3				1		
	7		3					5
				4	8		7	

TIME/TEMPS:

		7			6		4	
			3					9
4					2	1		
	9				8	7		3
				6				
1		5	2				9	
		6	4					2
3					1			
	8		5			9		

TIME/TEMPS:

113

	2						4	
6		3			2			1
	9				8			
				6		4	8	
			8	9	4			
	5	4		2				
			3				1	
5			1			8		7
	7						6	

TIME/TEMPS:

				9				
	7			6	2	8		
		9	4			3	1	
		4					2	
7	2						8	9
	3					1		
	5	6			1	7		
		7	2	8			4	
				5				

TIME/TEMPS:

	6				1			
7	2			5	9			
		4		7		8		
							5	6
	1	3				4	2	
9	4							
		6		9		2		
			5	6			1	9
			3				8	

TIME/TEMPS:

8	1						5	
3						4		9
				9	3		8	
			3		4	6		
		1		6		7		
		4	8		1			
	4		1	8				
9		3						2
	6						9	4

TIME/TEMPS:

	6				8			
3		1					4	
	7		1	6				
		6			4			9
		9		7		3		
7			8			5		
				5	2		1	
	5					4		7
			7				6	

TIME/TEMPS:

	1				5			7
5	3				8			
			7			5		
		9		2			8	4
			8	6	1			
6	2			7		1		
		1			4			
			3				6	8
3			9				7	

TIME/TEMPS:

	5		3		1	7		
7	3			4				
			6					5
9		5						6
	4			8			9	
3						2		4
5					4			
				5			1	7
		8	1		2		6	

TIME/TEMPS:

		9	6		1			
		7		9		1		
8	1	4					9	
9					8			2
	4						8	
1			3					5
	5					7	2	1
		2		7		5		
			2		4	8		

TIME/TEMPS:

121

				6	3	1		4
			5			6		
					1		3	5
	7			8		3		1
3			9		2			7
5		1		3			6	
4	6		1					
		2			9			
7		9	4	2				

TIME/TEMPS:

	8					4		
1		5	2	6			7	
	3	6			9			1
	6		5			1		
	5						6	
		4			7		3	
4			7			9	5	
	7			3	1	6		2
		3					1	

TIME/TEMPS:

	5	8						2
7	6		8					
1		4	7			5		
	8	5		1				
			9		4			
				7		2	1	
		3			7	9		6
					9		2	7
6						1	3	

TIME/TEMPS:

					2			3
	2					4	7	
		5		9	6		1	
				3		7		1
		1	5		4	9		
3		9		1				
	5		7	4		3		
	1	7					5	
9			8					

TIME/TEMPS:

125

	6			9		3		
5	9		8				6	
		7	3					8
	8	1		3				
2			9		6			1
				7		2	3	
3					9	5		
	1				3		8	9
		6		8			2	

TIME/TEMPS:

1	2							
7	3		9		5			
		6		8		1		
	1				9		7	
		5		7		4		
	7		6				8	
		7		6		8		
			1		7		4	2
							9	5

TIME/TEMPS:

		9		5				
		2			3	1		
4	3	6	8				5	
		3			9		4	
8								5
	5		6			3		
	6				5	4	3	9
		7	3			5		
				1		8		

TIME/TEMPS:

128

1					8		6	9
				3		2	7	8
					7		1	
					5	8		6
	1			8			9	
5		6	9					
	2		7					
3	7	9		6				
8	5		4					7

TIME/TEMPS:

8			4	2				7
		3	7			1		
	4						2	
9	2				5			
1				3				8
			6				9	1
	3						8	
		1			4	3		
7				6	3			2

TIME/TEMPS:

	4	2			5		9	6
7	3					1		5
5						8	4	
				1				8
			5		7			
3				9				
	8	6						7
9		3					5	4
2	5		4			3	8	

TIME/TEMPS:

	6				7			4
1				3		7		
		9	4		5		3	
		2				4		5
	5			2			7	
4		6				8		
	3		1		8	9		
		8		5				7
9			7				5	

TIME/TEMPS:

1				3		4		9
	5		4				2	
					9	1		6
	9		6			5		
7								3
		2			7		9	
4		1	8					
	2				3		4	
5		6		9				2

TIME/TEMPS:

			4			8		2
				7		4		
					6	5	7	1
1			3			6		
	9			1			2	
		6			5			3
4	6	7	1					
		3		8				
9		1			4			

TIME/TEMPS:

8			7		4		1	6
	1				5			7
			2			8		
9		7					6	4
1	6					2		9
		1		7				
5			6				9	
6	4		3		2			5

TIME/TEMPS:

135

		6	3	5			2	
				6				8
3			2		9			
4		1				2		
9	8						3	5
		5				6		1
			9		5			3
5				7				
	7			3	2	8		

TIME/TEMPS:

				8		5	6	
	4	5					7	3
	6	7			5	8		2
			4			6		
3								1
		4			9			
4		2	6			3	8	
5	9					4	2	
	3	8		9				

TIME/TEMPS:

2		7	6	5	8	3		
9					4			8
3				7	1	6		4
4			8		5			2
7		2	4	6				5
5			3					6
		4	5	9	6	2		3

TIME/TEMPS:

		7		2				9
	3				9		1	
4		1				2		
					4		3	
8				7				4
	5		6					
		5				4		2
	1		9				8	
9				3		5		

TIME/TEMPS:

1	5							
8		9					5	
	7		9		5	4		
		8		7	1	2		
			8		6			
		1	4	9		7		
		5	6		9		4	
	4					9		5
							3	1

TIME/TEMPS:

3			6		7			
		9		8	3			
	7			1		8		
1							8	2
	2	8		6		5	4	
5	6							9
		6		2			1	
			8	9		3		
			3		1			8

TIME/TEMPS:

141

9						6		
	7	2		8			9	
	3			6				2
			6	5	4			
	2	4	7		8	9	6	
			9	3	2			
2				7			8	
	5			4		1	7	
		1						5

TIME/TEMPS:

142

5					9	6	1	
				2			5	8
		1						4
			9	4				7
	1		5		3		4	
4				1	2			
9						2		
6	5			7				
	2	8	3					5

TIME/TEMPS:

143

5				7	9		1	
					1	5	6	7
			5				8	
		9					7	1
6				9				5
3	7					9		
	3				2			
8	9	5	3					
	1		8	5				3

TIME/TEMPS:

	9		1					6
8					5	4	7	
					6	1	9	
6						2	5	
				9				
	2	8						3
	8	7	6					
	1	6	7					8
4					3		6	

TIME/TEMPS:

9			1			8		
	8		7	5				
					2	7		3
7	6				3	1		
	1			6			5	
		4	5				8	6
5		2	9					
				1	5		7	
		1			7			9

TIME/TEMPS:

	1			2				7
3		9				6	2	
	2				5	4	8	
					1	2		
7				6				3
		2	5					
	7	3	4				5	
	6	5				3		2
2				5			9	

TIME/TEMPS:

			9				8	
		6	7	5				9
	9	2			8			
6	5		1			4		
	2			8			5	
		7			5		1	6
			8			6	2	
5				6	1	9		
	6				7			

TIME/TEMPS:

148

					5		9	6
			4	2			3	5
			3			1		
	6	8		7				1
	4		6		2		8	
9				4		6	7	
		4			7			
3	9			8	6			
8	2		1					

TIME/TEMPS:

149

			1			3		7
				7		4		
					4		8	9
3			7		9	8		
	8			6			9	
		7	5		3			2
4	7		6					
		6		2				
1		8			7			

TIME/TEMPS:

					1	6	8	
		6					5	2
	2				8	7		1
			4		5	2		7
				1				
6		7	8		2			
7		2	9				6	
3	6					5		
	9	4	2					

TIME/TEMPS:

				7	1	2		
			5	2	9		4	
			4					1
	7	6	1				2	9
3	9						1	8
8	1				2	6	3	
6					4			
	4		9	3	6			
		3	2	5				

TIME/TEMPS:

			6				3	9
			7			4		2
		3		1		6	7	
8	3			7				
		1	4		2	8		
				8			5	7
	1	2		4		7		
6		7			9			
4	5				7			

TIME/TEMPS:

		8	3					
	7		5				2	
9				2	6			
3	1				9	4		
		2		8		7		
		6	4				9	2
			7	6				3
	5				3		7	
					2	8		

TIME/TEMPS:

1					3		6	4
						8		1
		7		8	1		2	
						6		3
		5		6		4		
3		6						
	6		1	3		2		
9		2						
5	4		2					7

TIME/TEMPS:

155

					9		4	
				2			8	9
			5	8	1	6		
		6				7		8
	3	7				9	2	
5		2				1		
		4	3	9	6			
9	7			5				
	2		4					

TIME/TEMPS:

6		1					9	3
					4			5
2				9	1	8		
					8	4	3	
		4				5		
	9	6	1					
		2	8	3				4
4			2					
1	7					9		2

TIME/TEMPS:

6			4			7		5
		3				6		
	4				7	8	1	9
4				5		2		
			9		4			
		7		1				8
5	3	6	1				7	
		4				1		
8		2			9			6

TIME/TEMPS:

158

		8		7		5		
					6	3		
6				5			4	9
					3		7	
8		5				9		3
	2		7					
2	9			3				4
		3	1					
		7		4		8		

TIME/TEMPS:

	1		5	2		9		
4				6	1			
			7					4
3		8					9	
7	2			9			5	8
	6					3		7
6					8			
			1	3				5
		5		4	7		6	

TIME/TEMPS:

	5	6	2			8		7
9		4	5					
3	2							6
2	4			7				
			9		3			
				2			1	5
4							6	3
					6	9		8
8		9			2	1	7	

TIME/TEMPS:

		5	9					8
		4			6	5	9	
7	9						3	
6			7	2			4	
			5	4	1			
	5			6	8			2
	7						8	9
	8	1	6			2		
5					2	1		

TIME/TEMPS:

	3	4					6	
9		7	1					8
1	5	8				4		
	7		4	6				
			2	8	3			
				5	7		1	
		3				8	4	9
7					9	1		5
	9					7	2	

TIME/TEMPS:

6		2		3	4	7		
					2			
8				7		2		4
							5	1
7		9		8		4		6
5	8							
9		6		1				7
			3					
		8	4	2		6		9

TIME/TEMPS:

	1						7	
3			5		9			2
				8	1	3		
	8		6			2	1	
		7				4		
	6	1			8		9	
		2	4	5				
7			8		3			1
	3						4	

TIME/TEMPS:

Use this blank grid to do your rough work.
Utiliser cette grille vierge comme brouillon.

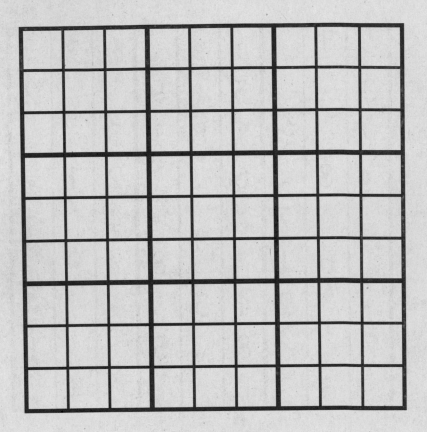

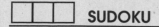

Use this blank grid to do your rough work.
Utiliser cette grille vierge comme brouillon.

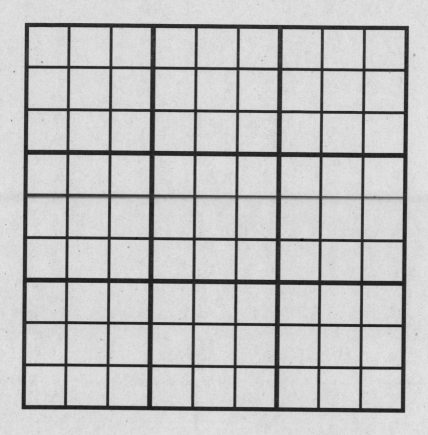

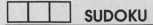

Use this blank grid to do your rough work.
Utiliser cette grille vierge comme brouillon.

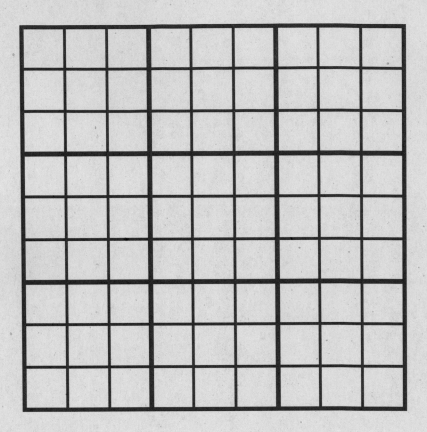

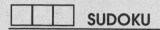

Use this blank grid to do your rough work.

Utiliser cette grille vierge comme brouillon.

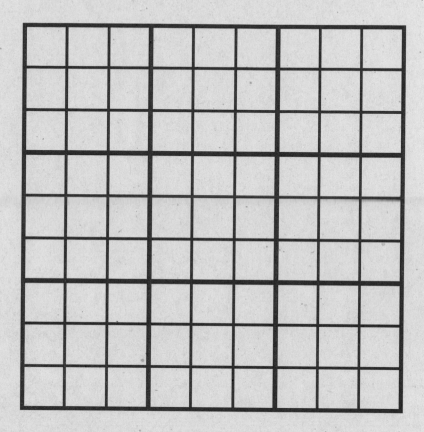

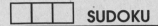

Use this blank grid to do your rough work.
Utiliser cette grille vierge comme brouillon.

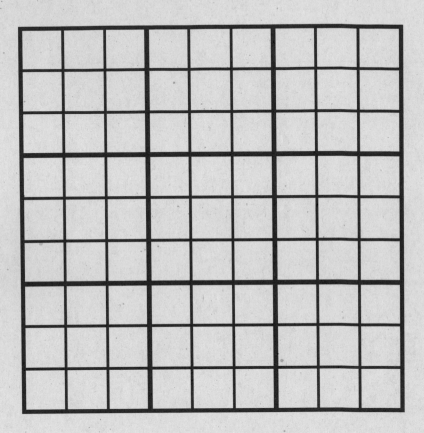

#1

6	7	1	5	8	3	2	9	4
5	4	9	6	1	2	3	7	8
2	8	3	4	7	9	5	6	1
9	1	4	7	2	5	6	8	3
7	2	6	9	3	8	4	1	5
8	3	5	1	4	6	9	2	7
1	6	8	3	9	4	7	5	2
3	5	2	8	6	7	1	4	9
4	9	7	2	5	1	8	3	6

#2

7	1	3	6	2	4	9	8	5
9	4	5	8	7	3	6	1	2
6	8	2	9	1	5	7	4	3
1	9	6	7	4	2	3	5	8
5	7	8	1	3	6	4	2	9
2	3	4	5	8	9	1	6	7
3	5	9	4	6	8	2	7	1
8	6	7	2	9	1	5	3	4
4	2	1	3	5	7	8	9	6

#3

1	3	7	6	2	8	5	4	9
4	5	8	3	9	1	6	7	2
9	6	2	7	4	5	8	1	3
2	4	6	9	1	7	3	5	8
7	8	5	4	3	6	9	2	1
3	9	1	5	8	2	4	6	7
5	2	3	8	7	4	1	9	6
6	7	9	1	5	3	2	8	4
8	1	4	2	6	9	7	3	5

#4

5	8	9	3	1	4	2	6	7
2	1	3	5	6	7	8	9	4
4	6	7	2	9	8	3	5	1
9	2	1	4	8	3	6	7	5
6	3	4	7	5	1	9	8	2
7	5	8	6	2	9	1	4	3
8	4	2	9	3	5	7	1	6
1	7	6	8	4	2	5	3	9
3	9	5	1	7	6	4	2	8

#5

3	8	9	5	2	4	1	7	6
5	1	2	6	7	8	3	4	9
7	4	6	9	1	3	8	5	2
8	9	4	7	5	6	2	3	1
1	7	3	4	8	2	6	9	5
2	6	5	1	3	9	4	8	7
4	2	1	8	9	5	7	6	3
9	3	8	2	6	7	5	1	4
6	5	7	3	4	1	9	2	8

#6

9	8	4	1	3	6	2	7	5
5	3	6	9	7	2	1	4	8
7	1	2	4	8	5	6	9	3
8	9	5	7	6	4	3	1	2
4	2	1	8	5	3	7	6	9
6	7	3	2	9	1	5	8	4
1	4	7	3	2	9	8	5	6
2	6	8	5	4	7	9	3	1
3	5	9	6	1	8	4	2	7

#7

7	2	6	3	4	8	1	5	9
5	1	3	6	7	9	8	2	4
4	9	8	5	1	2	3	6	7
3	5	9	7	2	1	4	8	6
8	4	7	9	5	6	2	1	3
1	6	2	4	8	3	7	9	5
9	7	1	2	6	4	5	3	8
6	8	5	1	3	7	9	4	2
2	3	4	8	9	5	6	7	1

#8

9	6	3	4	7	8	2	1	5
1	4	7	2	5	9	3	6	8
8	5	2	6	1	3	4	7	9
2	8	1	7	6	4	5	9	3
3	7	4	5	9	1	6	8	2
5	9	6	8	3	2	7	4	1
4	3	9	1	2	6	8	5	7
6	1	5	3	8	7	9	2	4
7	2	8	9	4	5	1	3	6

#9

2	8	6	3	9	7	4	5	1
7	4	9	6	1	5	8	3	2
1	3	5	2	4	8	6	7	9
6	7	1	5	8	2	3	9	4
5	9	4	7	3	1	2	6	8
8	2	3	9	6	4	5	1	7
3	1	2	8	5	9	7	4	6
9	6	8	4	7	3	1	2	5
4	5	7	1	2	6	9	8	3

#10

2	5	1	4	6	9	3	8	7
6	3	8	5	7	2	9	1	4
4	7	9	3	8	1	2	5	6
3	8	6	2	5	7	4	9	1
1	2	7	9	3	4	5	6	8
9	4	5	6	1	8	7	2	3
7	1	4	8	2	5	6	3	9
5	9	3	1	4	6	8	7	2
8	6	2	7	9	3	1	4	5

#11

8	4	6	1	2	7	3	5	9
9	7	5	3	4	6	1	2	8
3	1	2	5	9	8	4	6	7
4	9	1	8	3	5	2	7	6
5	2	7	9	6	4	8	3	1
6	3	8	7	1	2	9	4	5
7	6	9	2	8	3	5	1	4
1	5	3	4	7	9	6	8	2
2	8	4	6	5	1	7	9	3

#12

5	1	2	3	6	4	8	9	7
3	4	7	2	8	9	1	5	6
6	8	9	7	1	5	2	3	4
1	9	6	4	5	2	3	7	8
2	5	3	6	7	8	4	1	9
4	7	8	9	3	1	5	6	2
7	2	5	1	4	6	9	8	3
8	3	4	5	9	7	6	2	1
9	6	1	8	2	3	7	4	5

#13

9	1	8	2	3	4	6	7	5
4	2	6	1	5	7	8	9	3
5	3	7	8	6	9	4	1	2
6	5	2	7	1	8	9	3	4
7	4	3	6	9	2	5	8	1
8	9	1	3	4	5	2	6	7
1	6	9	4	2	3	7	5	8
2	7	5	9	8	1	3	4	6
3	8	4	5	7	6	1	2	9

#14

6	8	1	7	3	4	9	2	5
7	3	5	2	8	9	4	6	1
9	2	4	1	6	5	7	8	3
8	4	9	5	1	7	6	3	2
1	6	2	9	4	3	8	5	7
3	5	7	8	2	6	1	9	4
2	1	6	3	7	8	5	4	9
5	7	8	4	9	2	3	1	6
4	9	3	6	5	1	2	7	8

#15

5	2	8	3	6	7	9	4	1
6	1	7	8	4	9	2	3	5
9	3	4	5	1	2	7	6	8
2	4	5	9	3	6	8	1	7
8	6	9	4	7	1	3	5	2
1	7	3	2	5	8	6	9	4
3	8	2	1	9	5	4	7	6
4	5	6	7	8	3	1	2	9
7	9	1	6	2	4	5	8	3

#16

1	8	4	2	3	5	6	9	7
5	9	2	4	6	7	8	1	3
6	7	3	8	9	1	4	2	5
3	4	9	5	8	2	7	6	1
7	1	8	6	4	3	9	5	2
2	5	6	7	1	9	3	4	8
4	3	1	9	5	8	2	7	6
8	6	7	1	2	4	5	3	9
9	2	5	3	7	6	1	8	4

#17

3	2	6	9	4	7	1	5	8
9	7	8	3	5	1	2	4	6
4	1	5	8	2	6	3	7	9
7	6	3	4	8	2	5	9	1
1	8	9	5	6	3	4	2	7
5	4	2	7	1	9	8	6	3
2	3	1	6	7	4	9	8	5
8	9	7	2	3	5	6	1	4
6	5	4	1	9	8	7	3	2

#18

8	2	4	3	5	6	9	1	7
9	5	3	8	1	7	6	2	4
6	7	1	9	2	4	3	5	8
7	3	5	1	6	8	2	4	9
4	8	6	7	9	2	1	3	5
1	9	2	4	3	5	7	8	6
5	1	7	2	4	9	8	6	3
2	6	9	5	8	3	4	7	1
3	4	8	6	7	1	5	9	2

#19

7	9	6	8	1	4	2	3	5
2	3	1	5	7	9	4	6	8
4	8	5	2	3	6	7	9	1
5	2	3	6	8	7	1	4	9
6	4	8	9	5	1	3	7	2
9	1	7	3	4	2	8	5	6
8	5	2	7	6	3	9	1	4
1	7	9	4	2	5	6	8	3
3	6	4	1	9	8	5	2	7

#20

1	7	8	2	3	5	6	4	9
9	2	3	4	6	1	5	7	8
4	5	6	7	8	9	1	2	3
2	6	5	1	9	8	4	3	7
7	4	1	5	2	3	8	9	6
3	8	9	6	7	4	2	1	5
5	3	7	8	1	2	9	6	4
6	1	4	9	5	7	3	8	2
8	9	2	3	4	6	7	5	1

#21

6	8	1	7	9	4	2	3	5
2	4	3	5	1	8	6	7	9
5	9	7	2	3	6	8	4	1
1	5	4	8	7	3	9	2	6
7	2	8	4	6	9	1	5	3
9	3	6	1	2	5	7	8	4
8	6	5	9	4	2	3	1	7
3	7	2	6	5	1	4	9	8
4	1	9	3	8	7	5	6	2

#22

6	1	3	8	9	4	7	2	5
5	7	9	1	2	6	8	3	4
2	8	4	3	7	5	6	9	1
9	3	6	4	5	8	1	7	2
4	5	7	6	1	2	3	8	9
8	2	1	7	3	9	4	5	6
3	4	5	9	6	7	2	1	8
7	9	8	2	4	1	5	6	3
1	6	2	5	8	3	9	4	7

#23

7	6	2	1	9	3	5	8	4
3	8	1	4	5	6	7	9	2
5	4	9	7	2	8	3	6	1
9	7	3	6	4	2	8	1	5
1	5	4	9	8	7	2	3	6
8	2	6	3	1	5	9	4	7
2	1	8	5	3	4	6	7	9
4	3	7	2	6	9	1	5	8
6	9	5	8	7	1	4	2	3

#24

7	9	4	2	5	6	8	3	1
8	6	1	4	7	3	5	9	2
2	3	5	8	9	1	4	6	7
6	7	9	1	8	5	2	4	3
1	2	8	9	3	4	6	7	5
4	5	3	6	2	7	9	1	8
9	4	2	3	1	8	7	5	6
3	8	7	5	6	9	1	2	4
5	1	6	7	4	2	3	8	9

#25

7	1	4	8	2	5	9	3	6
2	3	5	1	9	6	4	7	8
6	9	8	7	4	3	1	5	2
1	4	7	3	5	2	8	6	9
8	5	9	4	6	7	2	1	3
3	2	6	9	1	8	7	4	5
9	6	3	2	7	1	5	8	4
4	8	1	5	3	9	6	2	7
5	7	2	6	8	4	3	9	1

#26

3	5	6	2	1	8	7	4	9
2	7	4	9	3	5	1	6	8
8	9	1	4	6	7	5	2	3
7	1	2	6	9	4	8	3	5
4	3	5	7	8	2	9	1	6
9	6	8	1	5	3	4	7	2
1	2	9	8	4	6	3	5	7
5	4	7	3	2	9	6	8	1
6	8	3	5	7	1	2	9	4

#27

5	8	1	6	9	3	7	2	4
2	6	9	7	4	1	3	8	5
7	3	4	5	8	2	6	9	1
4	9	2	1	6	5	8	3	7
3	1	6	8	7	4	9	5	2
8	5	7	2	3	9	4	1	6
9	7	5	3	2	6	1	4	8
6	2	3	4	1	8	5	7	9
1	4	8	9	5	7	2	6	3

#28

1	9	6	5	3	7	2	4	8
2	7	3	8	6	4	9	1	5
4	5	8	2	9	1	3	6	7
3	6	7	4	5	2	8	9	1
8	1	5	6	7	9	4	3	2
9	4	2	3	1	8	5	7	6
5	8	1	7	4	3	6	2	9
6	3	9	1	2	5	7	8	4
7	2	4	9	8	6	1	5	3

#29

8	2	7	1	3	9	5	6	4
1	5	9	7	6	4	8	2	3
3	6	4	5	8	2	9	7	1
7	9	2	8	1	5	3	4	6
4	8	1	6	9	3	7	5	2
5	3	6	2	4	7	1	9	8
6	4	8	9	7	1	2	3	5
9	1	5	3	2	6	4	8	7
2	7	3	4	5	8	6	1	9

#30

7	1	6	3	8	9	5	2	4
2	3	9	1	4	5	7	6	8
4	8	5	2	6	7	3	9	1
6	2	8	4	5	1	9	7	3
9	5	7	6	3	8	4	1	2
1	4	3	7	9	2	6	8	5
5	6	2	8	7	4	1	3	9
3	9	1	5	2	6	8	4	7
8	7	4	9	1	3	2	5	6

#31

7	1	2	8	6	5	9	4	3
8	9	3	7	1	4	6	2	5
4	5	6	3	9	2	1	7	8
2	4	5	9	3	8	7	1	6
3	6	9	1	2	7	8	5	4
1	8	7	4	5	6	2	3	9
5	2	4	6	7	9	3	8	1
6	3	8	2	4	1	5	9	7
9	7	1	5	8	3	4	6	2

#32

9	4	8	2	1	6	3	5	7
6	3	1	5	4	7	2	8	9
7	5	2	3	8	9	6	1	4
8	7	3	4	5	1	9	2	6
1	9	5	6	7	2	4	3	8
2	6	4	8	9	3	5	7	1
5	8	6	1	2	4	7	9	3
3	1	9	7	6	5	8	4	2
4	2	7	9	3	8	1	6	5

#33

2	9	8	3	4	6	1	5	7
7	4	6	5	8	1	3	9	2
5	1	3	7	9	2	4	6	8
3	6	7	4	1	8	5	2	9
4	8	9	2	3	5	6	7	1
1	2	5	6	7	9	8	3	4
8	3	1	9	5	7	2	4	6
6	7	4	1	2	3	9	8	5
9	5	2	8	6	4	7	1	3

#34

5	6	9	3	7	1	4	8	2
7	3	1	8	4	2	9	5	6
8	2	4	6	5	9	1	7	3
4	1	2	5	8	3	6	9	7
3	7	5	2	9	6	8	1	4
9	8	6	4	1	7	2	3	5
2	9	8	7	6	5	3	4	1
6	4	7	1	3	8	5	2	9
1	5	3	9	2	4	7	6	8

#35

9	3	6	1	2	7	4	5	8
7	5	4	3	9	8	2	1	6
8	1	2	4	5	6	3	7	9
1	8	7	5	3	2	6	9	4
2	4	9	6	7	1	5	8	3
3	6	5	8	4	9	7	2	1
6	9	3	2	1	5	8	4	7
4	2	1	7	8	3	9	6	5
5	7	8	9	6	4	1	3	2

#36

4	6	3	5	9	8	7	1	2
8	7	5	2	4	1	6	3	9
9	1	2	6	3	7	4	8	5
1	9	6	8	5	4	3	2	7
3	5	4	7	1	2	8	9	6
2	8	7	3	6	9	1	5	4
5	3	1	9	7	6	2	4	8
6	2	9	4	8	3	5	7	1
7	4	8	1	2	5	9	6	3

#37

7	1	3	8	4	2	9	5	6
2	5	8	3	9	6	4	7	1
4	9	6	5	7	1	3	8	2
6	3	7	2	8	9	5	1	4
5	2	9	4	1	7	6	3	8
8	4	1	6	3	5	7	2	9
9	6	5	7	2	8	1	4	3
1	8	4	9	5	3	2	6	7
3	7	2	1	6	4	8	9	5

#38

7	4	9	3	6	2	5	8	1
2	3	1	7	5	8	6	4	9
5	6	8	4	9	1	7	2	3
6	5	4	1	2	7	9	3	8
3	9	2	5	8	6	4	1	7
8	1	7	9	3	4	2	5	6
9	7	3	2	1	5	8	6	4
1	8	5	6	4	9	3	7	2
4	2	6	8	7	3	1	9	5

#39

3	7	4	8	9	5	2	1	6
9	1	2	7	3	6	8	4	5
5	6	8	1	2	4	3	7	9
6	5	3	9	7	8	4	2	1
7	8	9	4	1	2	5	6	3
4	2	1	6	5	3	7	9	8
8	9	7	3	4	1	6	5	2
1	3	5	2	6	7	9	8	4
2	4	6	5	8	9	1	3	7

#40

7	1	6	5	9	3	8	2	4
2	4	5	1	6	8	3	9	7
3	8	9	4	2	7	1	6	5
4	6	1	8	7	9	5	3	2
5	3	8	2	1	6	4	7	9
9	7	2	3	4	5	6	8	1
6	2	4	9	8	1	7	5	3
1	5	7	6	3	2	9	4	8
8	9	3	7	5	4	2	1	6

#41

8	6	4	2	7	5	1	3	9
9	5	2	8	1	3	7	4	6
7	1	3	6	9	4	5	8	2
2	7	9	3	4	1	8	6	5
3	4	5	7	6	8	9	2	1
6	8	1	9	5	2	3	7	4
1	3	6	4	8	9	2	5	7
4	9	8	5	2	7	6	1	3
5	2	7	1	3	6	4	9	8

#42

5	4	8	2	6	1	3	7	9
1	6	3	4	9	7	5	2	8
2	7	9	8	3	5	4	1	6
3	1	5	9	2	8	6	4	7
4	9	7	1	5	6	2	8	3
6	8	2	7	4	3	9	5	1
7	5	4	6	8	9	1	3	2
8	2	6	3	1	4	7	9	5
9	3	1	5	7	2	8	6	4

#43

5	3	1	4	8	6	2	9	7
6	9	4	1	7	2	8	3	5
2	7	8	9	3	5	4	1	6
8	1	6	3	4	9	7	5	2
3	2	9	8	5	7	1	6	4
4	5	7	2	6	1	9	8	3
9	8	3	5	2	4	6	7	1
7	4	5	6	1	8	3	2	9
1	6	2	7	9	3	5	4	8

#44

3	6	1	7	9	2	4	8	5
7	5	4	8	6	3	1	9	2
2	8	9	4	5	1	3	6	7
4	1	8	6	7	9	5	2	3
5	7	3	1	2	8	6	4	9
9	2	6	3	4	5	7	1	8
6	9	5	2	1	7	8	3	4
8	4	2	5	3	6	9	7	1
1	3	7	9	8	4	2	5	6

#45

4	1	7	5	6	9	8	2	3
2	5	9	7	8	3	6	4	1
3	6	8	1	2	4	5	7	9
5	7	2	9	3	6	4	1	8
1	4	6	8	5	7	3	9	2
9	8	3	2	4	1	7	5	6
6	2	1	3	7	5	9	8	4
7	9	4	6	1	8	2	3	5
8	3	5	4	9	2	1	6	7

#46

1	8	4	2	9	5	7	3	6
9	7	3	8	1	6	2	4	5
2	5	6	7	3	4	8	9	1
5	1	8	4	6	2	9	7	3
3	2	9	5	7	1	4	6	8
4	6	7	9	8	3	5	1	2
6	9	5	1	2	7	3	8	4
7	4	1	3	5	8	6	2	9
8	3	2	6	4	9	1	5	7

#47

4	9	3	1	2	7	5	6	8
1	5	7	3	6	8	9	2	4
2	8	6	4	5	9	1	7	3
7	3	1	9	4	2	8	5	6
5	4	9	7	8	6	2	3	1
6	2	8	5	3	1	4	9	7
3	1	2	6	9	4	7	8	5
8	6	4	2	7	5	3	1	9
9	7	5	8	1	3	6	4	2

#48

6	8	2	3	9	4	7	1	5
4	9	7	8	5	1	6	2	3
3	5	1	6	2	7	8	9	4
7	3	8	4	6	2	9	5	1
9	4	5	1	7	3	2	6	8
1	2	6	9	8	5	3	4	7
5	6	4	2	3	8	1	7	9
8	7	9	5	1	6	4	3	2
2	1	3	7	4	9	5	8	6

#49

1	4	7	2	5	8	3	6	9
8	3	9	4	6	7	2	1	5
2	5	6	9	1	3	4	7	8
4	2	5	1	9	6	8	3	7
6	1	3	7	8	2	9	5	4
7	9	8	5	3	4	6	2	1
5	6	1	3	4	9	7	8	2
9	8	2	6	7	5	1	4	3
3	7	4	8	2	1	5	9	6

#50

7	5	6	2	1	4	8	3	9
2	1	8	9	3	6	4	5	7
9	3	4	5	7	8	6	2	1
1	6	3	4	2	5	9	7	8
4	9	7	6	8	3	2	1	5
5	8	2	7	9	1	3	4	6
6	2	5	8	4	7	1	9	3
8	4	1	3	5	9	7	6	2
3	7	9	1	6	2	5	8	4

#51

2	7	9	3	5	1	8	6	4
3	4	1	7	8	6	5	9	2
5	6	8	4	9	2	7	1	3
4	2	3	9	7	5	6	8	1
7	8	5	6	1	4	2	3	9
9	1	6	2	3	8	4	5	7
1	3	4	8	6	7	9	2	5
6	5	2	1	4	9	3	7	8
8	9	7	5	2	3	1	4	6

#52

8	1	5	9	2	6	4	3	7
6	2	3	5	7	4	9	8	1
7	9	4	8	1	3	2	5	6
3	5	8	6	4	9	1	7	2
9	7	1	3	8	2	5	6	4
4	6	2	1	5	7	8	9	3
5	8	7	4	6	1	3	2	9
1	3	6	2	9	8	7	4	5
2	4	9	7	3	5	6	1	8

#53

3	6	9	7	4	1	8	5	2
7	1	2	8	9	5	3	4	6
4	5	8	2	3	6	9	1	7
5	2	3	9	8	7	1	6	4
6	8	4	1	2	3	7	9	5
1	9	7	5	6	4	2	8	3
9	4	6	3	7	8	5	2	1
8	7	1	4	5	2	6	3	9
2	3	5	6	1	9	4	7	8

#54

9	3	2	6	4	8	5	7	1
5	7	6	3	9	1	4	2	8
1	8	4	2	7	5	3	9	6
2	5	8	4	3	9	1	6	7
4	9	7	5	1	6	8	3	2
3	6	1	7	8	2	9	5	4
6	1	5	8	2	3	7	4	9
7	2	9	1	5	4	6	8	3
8	4	3	9	6	7	2	1	5

#55

8	3	7	4	6	1	5	9	2
6	4	9	2	5	7	3	1	8
1	2	5	8	3	9	4	6	7
2	5	1	6	8	4	7	3	9
3	8	6	7	9	5	2	4	1
7	9	4	3	1	2	8	5	6
9	1	3	5	2	8	6	7	4
4	6	8	9	7	3	1	2	5
5	7	2	1	4	6	9	8	3

#56

8	9	2	1	5	3	7	6	4
5	1	3	6	4	7	8	9	2
4	6	7	8	9	2	3	1	5
7	3	8	2	1	4	6	5	9
6	2	4	5	7	9	1	8	3
9	5	1	3	6	8	2	4	7
1	7	9	4	2	6	5	3	8
2	8	5	9	3	1	4	7	6
3	4	6	7	8	5	9	2	1

#57

5	8	1	3	7	2	6	9	4
3	4	7	8	6	9	5	2	1
6	9	2	1	4	5	7	3	8
2	1	5	7	3	6	8	4	9
7	3	8	9	2	4	1	5	6
4	6	9	5	8	1	2	7	3
9	5	4	6	1	7	3	8	2
8	7	6	2	9	3	4	1	5
1	2	3	4	5	8	9	6	7

#58

1	2	3	6	7	4	8	9	5
4	6	5	9	3	8	7	1	2
8	7	9	1	2	5	3	4	6
5	3	8	7	4	2	9	6	1
6	9	4	3	5	1	2	7	8
7	1	2	8	9	6	4	5	3
2	5	1	4	8	7	6	3	9
3	4	6	2	1	9	5	8	7
9	8	7	5	6	3	1	2	4

#59

6	1	4	9	5	7	2	3	8
2	7	3	6	1	8	9	5	4
8	5	9	2	3	4	7	1	6
7	9	1	8	2	6	3	4	5
3	4	2	1	7	5	8	6	9
5	6	8	3	4	9	1	7	2
4	8	7	5	9	1	6	2	3
9	2	5	7	6	3	4	8	1
1	3	6	4	8	2	5	9	7

#60

2	7	8	3	4	9	5	6	1
9	4	6	8	5	1	2	3	7
1	5	3	6	7	2	8	9	4
3	6	2	4	1	5	9	7	8
4	8	5	9	6	7	1	2	3
7	1	9	2	3	8	4	5	6
5	9	4	7	8	6	3	1	2
6	3	1	5	2	4	7	8	9
8	2	7	1	9	3	6	4	5

#61

2	5	6	7	3	8	1	4	9
7	8	4	1	9	5	3	2	6
1	9	3	2	4	6	5	7	8
5	3	8	9	1	4	2	6	7
6	7	9	3	5	2	4	8	1
4	1	2	6	8	7	9	5	3
9	2	7	4	6	3	8	1	5
8	4	1	5	7	9	6	3	2
3	6	5	8	2	1	7	9	4

#62

5	8	6	3	7	1	9	4	2
2	7	9	4	8	5	6	1	3
3	1	4	6	9	2	5	7	8
6	3	2	7	1	4	8	9	5
7	4	5	8	6	9	3	2	1
8	9	1	2	5	3	4	6	7
4	2	7	5	3	6	1	8	9
9	5	8	1	4	7	2	3	6
1	6	3	9	2	8	7	5	4

#63

7	9	6	8	1	2	4	5	3
8	1	5	3	9	4	7	2	6
2	3	4	5	7	6	8	9	1
9	6	3	4	2	5	1	8	7
4	7	2	6	8	1	9	3	5
5	8	1	7	3	9	2	6	4
3	2	7	1	6	8	5	4	9
6	4	8	9	5	7	3	1	2
1	5	9	2	4	3	6	7	8

#64

6	1	8	9	2	4	3	7	5
3	5	2	8	6	7	4	9	1
7	9	4	5	1	3	8	2	6
2	3	5	1	4	8	9	6	7
4	8	9	6	7	5	1	3	2
1	6	7	2	3	9	5	4	8
9	7	1	3	5	2	6	8	4
5	2	3	4	8	6	7	1	9
8	4	6	7	9	1	2	5	3

#65

7	8	1	9	3	5	2	4	6
9	4	2	6	1	7	5	3	8
3	6	5	8	2	4	7	9	1
8	3	7	1	6	2	9	5	4
1	5	4	7	9	3	8	6	2
6	2	9	4	5	8	3	1	7
5	7	6	3	8	1	4	2	9
2	1	8	5	4	9	6	7	3
4	9	3	2	7	6	1	8	5

#66

8	4	7	9	3	1	5	6	2
5	6	9	7	2	8	3	4	1
1	2	3	4	5	6	7	9	8
2	5	8	1	6	9	4	3	7
9	3	4	2	8	7	6	1	5
6	7	1	5	4	3	8	2	9
3	8	2	6	1	5	9	7	4
7	1	5	3	9	4	2	8	6
4	9	6	8	7	2	1	5	3

#67

7	8	3	2	9	4	6	1	5
4	6	9	5	7	1	3	8	2
1	2	5	8	6	3	7	4	9
8	5	4	6	2	9	1	7	3
9	3	6	1	8	7	2	5	4
2	1	7	3	4	5	8	9	6
3	4	1	7	5	2	9	6	8
5	7	8	9	3	6	4	2	1
6	9	2	4	1	8	5	3	7

#68

5	7	4	6	8	9	2	3	1
3	8	2	4	1	7	5	6	9
6	9	1	2	3	5	4	8	7
4	1	3	5	9	8	6	7	2
9	6	5	7	2	1	8	4	3
7	2	8	3	6	4	9	1	5
8	3	7	9	5	6	1	2	4
2	5	6	1	4	3	7	9	8
1	4	9	8	7	2	3	5	6

#69

2	8	6	1	4	7	3	5	9
1	5	7	3	8	9	4	6	2
9	3	4	5	6	2	1	7	8
3	7	9	6	5	4	2	8	1
4	6	2	7	1	8	5	9	3
8	1	5	9	2	3	6	4	7
5	9	8	2	3	6	7	1	4
6	4	3	8	7	1	9	2	5
7	2	1	4	9	5	8	3	6

#70

5	6	8	3	4	9	2	7	1
9	7	1	5	8	2	6	3	4
2	3	4	1	6	7	8	5	9
4	9	2	6	7	1	5	8	3
8	5	7	4	9	3	1	6	2
3	1	6	8	2	5	9	4	7
6	2	5	7	1	4	3	9	8
1	4	3	9	5	8	7	2	6
7	8	9	2	3	6	4	1	5

#71

2	3	4	8	7	5	1	9	6
5	9	1	6	2	4	7	8	3
7	6	8	9	3	1	2	4	5
3	2	6	7	8	9	4	5	1
9	4	7	1	5	6	8	3	2
8	1	5	2	4	3	6	7	9
1	8	9	3	6	7	5	2	4
4	7	3	5	1	2	9	6	8
6	5	2	4	9	8	3	1	7

#72

7	9	6	5	1	2	3	8	4
4	3	1	8	7	6	9	5	2
8	5	2	9	3	4	1	6	7
1	6	4	7	8	9	5	2	3
3	2	8	6	4	5	7	1	9
9	7	5	3	2	1	6	4	8
2	8	9	1	5	7	4	3	6
5	4	7	2	6	3	8	9	1
6	1	3	4	9	8	2	7	5

#73

3	7	5	1	6	8	2	4	9
4	6	2	9	5	3	7	8	1
8	9	1	2	4	7	5	3	6
5	8	9	3	7	1	4	6	2
7	2	3	4	8	6	1	9	5
6	1	4	5	9	2	3	7	8
9	3	7	6	1	5	8	2	4
1	4	8	7	2	9	6	5	3
2	5	6	8	3	4	9	1	7

#74

3	2	4	8	9	5	1	7	6
7	8	5	1	2	6	9	3	4
6	9	1	3	4	7	2	5	8
2	5	7	4	6	9	3	8	1
8	3	9	2	5	1	4	6	7
4	1	6	7	8	3	5	2	9
5	4	2	6	1	8	7	9	3
9	6	3	5	7	4	8	1	2
1	7	8	9	3	2	6	4	5

#75

7	3	1	5	6	8	2	4	9
2	4	5	7	9	1	3	8	6
6	8	9	2	3	4	7	1	5
8	2	6	9	4	7	1	5	3
5	7	3	6	1	2	8	9	4
9	1	4	8	5	3	6	2	7
1	5	8	3	7	9	4	6	2
3	6	2	4	8	5	9	7	1
4	9	7	1	2	6	5	3	8

#76

4	5	7	3	6	8	2	1	9
6	1	2	9	7	4	8	3	5
3	8	9	1	5	2	7	4	6
5	3	4	6	1	7	9	2	8
2	6	1	4	8	9	3	5	7
7	9	8	2	3	5	1	6	4
8	2	3	5	9	6	4	7	1
1	7	6	8	4	3	5	9	2
9	4	5	7	2	1	6	8	3

#77

7	9	4	8	1	5	2	3	6
5	8	2	6	9	3	1	7	4
3	1	6	2	7	4	5	8	9
8	6	7	5	2	1	9	4	3
2	3	9	7	4	6	8	1	5
4	5	1	3	8	9	7	6	2
1	4	8	9	6	2	3	5	7
6	2	5	1	3	7	4	9	8
9	7	3	4	5	8	6	2	1

#78

6	7	5	4	2	1	3	9	8
9	1	2	3	5	8	6	7	4
3	4	8	7	6	9	1	5	2
2	6	9	5	3	4	7	8	1
4	8	1	9	7	6	5	2	3
7	5	3	8	1	2	9	4	6
5	3	6	2	8	7	4	1	9
8	9	7	1	4	3	2	6	5
1	2	4	6	9	5	8	3	7

#79

6	5	4	2	7	9	3	8	1
7	8	9	3	1	4	5	2	6
1	2	3	5	8	6	7	4	9
9	3	1	4	2	8	6	7	5
2	4	5	6	3	7	9	1	8
8	6	7	9	5	1	2	3	4
3	7	6	8	4	5	1	9	2
4	9	2	1	6	3	8	5	7
5	1	8	7	9	2	4	6	3

#80

4	7	3	9	5	8	6	1	2
5	8	9	6	1	2	4	3	7
2	1	6	7	3	4	8	5	9
9	4	5	2	6	1	3	7	8
6	3	8	5	4	7	2	9	1
7	2	1	3	8	9	5	4	6
1	5	2	4	9	6	7	8	3
3	9	7	8	2	5	1	6	4
8	6	4	1	7	3	9	2	5

#81

6	8	5	7	9	2	3	1	4
7	3	1	8	4	5	2	9	6
4	9	2	3	6	1	5	7	8
1	5	6	2	7	8	4	3	9
9	7	3	5	1	4	6	8	2
2	4	8	9	3	6	7	5	1
5	2	4	1	8	3	9	6	7
8	6	7	4	5	9	1	2	3
3	1	9	6	2	7	8	4	5

#82

3	7	5	9	1	6	4	2	8
6	8	1	2	3	4	7	9	5
9	4	2	5	7	8	3	1	6
4	6	9	7	8	1	5	3	2
5	2	8	3	4	9	6	7	1
1	3	7	6	2	5	8	4	9
7	9	3	8	5	2	1	6	4
8	1	6	4	9	7	2	5	3
2	5	4	1	6	3	9	8	7

#83

3	5	4	8	1	7	9	2	6
6	7	8	9	2	3	5	1	4
9	1	2	4	5	6	8	3	7
7	3	5	1	6	4	2	8	9
1	4	9	7	8	2	3	6	5
2	8	6	5	3	9	4	7	1
8	9	7	2	4	1	6	5	3
4	2	3	6	7	5	1	9	8
5	6	1	3	9	8	7	4	2

#84

9	8	5	1	2	6	3	4	7
6	3	2	8	7	4	1	9	5
7	4	1	9	5	3	8	2	6
8	5	6	2	3	7	4	1	9
1	7	3	4	9	5	2	6	8
2	9	4	6	8	1	5	7	3
3	2	8	7	1	9	6	5	4
4	1	7	5	6	8	9	3	2
5	6	9	3	4	2	7	8	1

#85

1	3	5	2	9	7	6	4	8
8	4	2	3	6	5	7	9	1
9	6	7	8	1	4	2	3	5
7	9	3	1	8	6	4	5	2
2	1	4	5	3	9	8	6	7
5	8	6	7	4	2	9	1	3
6	7	1	4	2	3	5	8	9
3	2	9	6	5	8	1	7	4
4	5	8	9	7	1	3	2	6

#86

8	2	5	6	9	3	7	1	4
4	6	7	5	1	2	8	9	3
9	1	3	4	7	8	2	5	6
7	5	9	8	2	6	4	3	1
6	3	2	9	4	1	5	7	8
1	8	4	7	3	5	6	2	9
2	4	8	1	5	9	3	6	7
5	7	1	3	6	4	9	8	2
3	9	6	2	8	7	1	4	5

#87

6	8	5	7	2	9	3	4	1
9	3	7	8	4	1	2	5	6
2	1	4	3	5	6	7	8	9
8	2	6	5	1	4	9	3	7
7	9	1	6	8	3	5	2	4
4	5	3	9	7	2	1	6	8
1	6	9	2	3	8	4	7	5
3	7	8	4	9	5	6	1	2
5	4	2	1	6	7	8	9	3

#88

1	6	9	7	8	2	4	5	3
2	5	3	6	1	4	9	7	8
4	7	8	3	5	9	1	6	2
7	3	1	8	6	5	2	9	4
9	2	6	1	4	7	3	8	5
5	8	4	2	9	3	6	1	7
8	9	7	4	3	6	5	2	1
3	1	5	9	2	8	7	4	6
6	4	2	5	7	1	8	3	9

#89

8	5	3	9	4	7	1	6	2
4	1	6	8	5	2	9	7	3
7	2	9	3	6	1	4	8	5
3	4	5	1	7	6	2	9	8
2	6	1	4	8	9	3	5	7
9	7	8	2	3	5	6	4	1
6	3	2	5	9	8	7	1	4
1	8	7	6	2	4	5	3	9
5	9	4	7	1	3	8	2	6

#90

5	7	9	6	2	1	3	8	4
1	6	4	3	7	8	2	9	5
8	2	3	4	9	5	1	6	7
2	9	5	8	3	7	4	1	6
7	8	6	1	4	9	5	2	3
3	4	1	2	5	6	8	7	9
6	3	7	5	8	2	9	4	1
9	5	8	7	1	4	6	3	2
4	1	2	9	6	3	7	5	8

#91

9	5	4	7	1	6	2	3	8
6	7	3	2	8	5	4	9	1
8	1	2	3	9	4	5	6	7
1	8	6	4	5	7	3	2	9
2	4	9	1	3	8	6	7	5
7	3	5	6	2	9	1	8	4
4	9	8	5	6	2	7	1	3
3	2	7	8	4	1	9	5	6
5	6	1	9	7	3	8	4	2

#92

4	6	8	3	7	1	5	9	2
9	2	7	8	5	6	1	3	4
5	3	1	9	2	4	7	8	6
7	9	4	5	6	2	8	1	3
8	1	2	4	9	3	6	5	7
6	5	3	1	8	7	4	2	9
1	4	5	6	3	9	2	7	8
2	8	9	7	4	5	3	6	1
3	7	6	2	1	8	9	4	5

#93

9	2	1	6	7	5	4	8	3
6	3	5	8	9	4	1	2	7
8	4	7	1	2	3	5	6	9
1	8	4	7	3	9	2	5	6
5	6	9	2	1	8	3	7	4
2	7	3	4	5	6	8	9	1
7	5	2	9	4	1	6	3	8
3	1	8	5	6	7	9	4	2
4	9	6	3	8	2	7	1	5

#94

2	1	7	8	6	5	4	3	9
8	3	9	4	7	2	1	6	5
6	4	5	3	9	1	7	8	2
3	5	4	6	1	9	8	2	7
9	2	8	5	4	7	3	1	6
7	6	1	2	8	3	9	5	4
5	8	6	7	3	4	2	9	1
1	7	3	9	2	6	5	4	8
4	9	2	1	5	8	6	7	3

#95

8	1	4	9	2	7	6	3	5
5	7	2	6	8	3	4	9	1
3	9	6	1	4	5	2	7	8
9	2	3	4	5	1	7	8	6
6	4	1	7	9	8	3	5	2
7	5	8	2	3	6	9	1	4
1	8	9	3	6	4	5	2	7
4	3	7	5	1	2	8	6	9
2	6	5	8	7	9	1	4	3

#96

1	5	4	6	7	8	3	2	9
9	6	8	1	2	3	7	4	5
7	2	3	4	5	9	1	6	8
3	9	1	5	8	6	4	7	2
8	4	6	2	3	7	5	9	1
2	7	5	9	1	4	6	8	3
4	1	2	7	9	5	8	3	6
6	8	9	3	4	1	2	5	7
5	3	7	8	6	2	9	1	4

#97

2	4	5	6	9	7	8	3	1
8	3	6	1	2	5	4	9	7
7	9	1	8	3	4	2	5	6
3	1	7	4	6	9	5	8	2
5	2	4	7	8	1	9	6	3
6	8	9	2	5	3	7	1	4
4	5	3	9	7	6	1	2	8
9	7	8	3	1	2	6	4	5
1	6	2	5	4	8	3	7	9

#98

5	3	7	9	1	6	2	4	8
2	1	8	3	4	5	6	7	9
4	6	9	8	7	2	1	3	5
6	9	4	1	5	8	7	2	3
8	2	3	7	6	9	4	5	1
1	7	5	2	3	4	8	9	6
9	5	6	4	8	7	3	1	2
3	4	2	6	9	1	5	8	7
7	8	1	5	2	3	9	6	4

#99

1	2	5	9	3	7	6	4	8
6	8	3	4	5	2	7	9	1
4	9	7	6	1	8	2	5	3
7	1	9	5	6	3	4	8	2
3	6	2	8	9	4	1	7	5
8	5	4	7	2	1	9	3	6
2	4	8	3	7	6	5	1	9
5	3	6	1	4	9	8	2	7
9	7	1	2	8	5	3	6	4

#100

8	4	2	1	9	3	6	5	7
1	7	3	5	6	2	8	9	4
5	6	9	4	7	8	3	1	2
6	8	4	7	1	9	5	2	3
7	2	1	6	3	5	4	8	9
9	3	5	8	2	4	1	7	6
2	5	6	9	4	1	7	3	8
3	1	7	2	8	6	9	4	5
4	9	8	3	5	7	2	6	1

#101

8	6	9	4	3	1	5	7	2
7	2	1	8	5	9	3	6	4
5	3	4	2	7	6	8	9	1
2	7	8	1	4	3	9	5	6
6	1	3	9	8	5	4	2	7
9	4	5	6	2	7	1	3	8
1	5	6	7	9	8	2	4	3
3	8	2	5	6	4	7	1	9
4	9	7	3	1	2	6	8	5

#102

8	1	9	4	2	6	3	5	7
3	2	7	5	1	8	4	6	9
4	5	6	7	9	3	2	8	1
2	9	8	3	7	4	6	1	5
5	3	1	9	6	2	7	4	8
6	7	4	8	5	1	9	2	3
7	4	2	1	8	9	5	3	6
9	8	3	6	4	5	1	7	2
1	6	5	2	3	7	8	9	4

#103

9	6	5	4	2	8	7	3	1
3	2	1	5	9	7	6	4	8
4	7	8	1	6	3	9	5	2
5	8	6	2	3	4	1	7	9
2	1	9	6	7	5	3	8	4
7	3	4	8	1	9	5	2	6
6	4	7	9	5	2	8	1	3
1	5	2	3	8	6	4	9	7
8	9	3	7	4	1	2	6	5

#104

9	1	2	6	3	5	8	4	7
5	3	7	1	4	8	9	2	6
8	4	6	7	9	2	5	1	3
1	7	9	5	2	3	6	8	4
4	5	3	8	6	1	7	9	2
6	2	8	4	7	9	1	3	5
7	6	1	2	8	4	3	5	9
2	9	5	3	1	7	4	6	8
3	8	4	9	5	6	2	7	1

#105

8	5	6	3	9	1	7	4	2
7	3	9	2	4	5	6	8	1
1	2	4	6	7	8	9	3	5
9	1	5	4	2	3	8	7	6
6	4	2	5	8	7	1	9	3
3	8	7	9	1	6	2	5	4
5	9	1	7	6	4	3	2	8
2	6	3	8	5	9	4	1	7
4	7	8	1	3	2	5	6	9

#106

5	3	9	6	8	1	2	7	4
2	6	7	4	9	3	1	5	8
8	1	4	7	2	5	6	9	3
9	7	3	5	6	8	4	1	2
6	4	5	9	1	2	3	8	7
1	2	8	3	4	7	9	6	5
4	5	6	8	3	9	7	2	1
3	8	2	1	7	6	5	4	9
7	9	1	2	5	4	8	3	6

#107

9	5	8	2	6	3	1	7	4
1	2	3	5	4	7	6	8	9
6	4	7	8	9	1	2	3	5
2	7	4	6	8	5	3	9	1
3	8	6	9	1	2	4	5	7
5	9	1	7	3	4	8	6	2
4	6	5	1	7	8	9	2	3
8	1	2	3	5	9	7	4	6
7	3	9	4	2	6	5	1	8

#108

9	8	7	1	5	3	4	2	6
1	4	5	2	6	8	3	7	9
2	3	6	4	7	9	5	8	1
3	6	2	5	8	4	1	9	7
7	5	1	3	9	2	8	6	4
8	9	4	6	1	7	2	3	5
4	1	8	7	2	6	9	5	3
5	7	9	8	3	1	6	4	2
6	2	3	9	4	5	7	1	8

#109

9	5	8	4	6	1	3	7	2
7	6	2	8	5	3	4	9	1
1	3	4	7	9	2	5	6	8
2	8	5	3	1	6	7	4	9
3	1	7	9	2	4	6	8	5
4	9	6	5	7	8	2	1	3
8	2	3	1	4	7	9	5	6
5	4	1	6	3	9	8	2	7
6	7	9	2	8	5	1	3	4

#110

4	9	8	1	7	2	5	6	3
1	2	6	3	5	8	4	7	9
7	3	5	4	9	6	8	1	2
5	6	4	2	3	9	7	8	1
2	7	1	5	8	4	9	3	6
3	8	9	6	1	7	2	4	5
6	5	2	7	4	1	3	9	8
8	1	7	9	2	3	6	5	4
9	4	3	8	6	5	1	2	7

#111

8	6	4	7	9	5	3	1	2
5	9	3	8	2	1	4	6	7
1	2	7	3	6	4	9	5	8
7	8	1	5	3	2	6	9	4
2	3	5	9	4	6	8	7	1
6	4	9	1	7	8	2	3	5
3	7	8	2	1	9	5	4	6
4	1	2	6	5	3	7	8	9
9	5	6	4	8	7	1	2	3

#112

1	2	8	3	4	6	9	5	7
7	3	4	9	1	5	2	6	8
9	5	6	7	8	2	1	3	4
8	1	2	4	5	9	3	7	6
3	6	5	8	7	1	4	2	9
4	7	9	6	2	3	5	8	1
2	9	7	5	6	4	8	1	3
5	8	3	1	9	7	6	4	2
6	4	1	2	3	8	7	9	5

#113

7	1	9	4	5	2	6	8	3
5	8	2	7	6	3	1	9	4
4	3	6	8	9	1	7	5	2
6	7	3	5	8	9	2	4	1
8	2	4	1	3	7	9	6	5
9	5	1	6	2	4	3	7	8
1	6	8	2	7	5	4	3	9
2	9	7	3	4	8	5	1	6
3	4	5	9	1	6	8	2	7

#114

1	3	7	2	4	8	5	6	9
9	4	5	1	3	6	2	7	8
2	6	8	5	9	7	3	1	4
7	9	2	3	1	5	8	4	6
4	1	3	6	8	2	7	9	5
5	8	6	9	7	4	1	2	3
6	2	4	7	5	3	9	8	1
3	7	9	8	6	1	4	5	2
8	5	1	4	2	9	6	3	7

#115

8	1	5	4	2	6	9	3	7
2	9	3	7	5	8	1	6	4
6	4	7	3	9	1	8	2	5
9	2	6	8	1	5	7	4	3
1	7	4	9	3	2	6	5	8
3	5	8	6	4	7	2	9	1
4	3	2	1	7	9	5	8	6
5	6	1	2	8	4	3	7	9
7	8	9	5	6	3	4	1	2

#116

1	4	2	3	8	5	7	9	6
7	3	8	6	4	9	1	2	5
5	6	9	1	7	2	8	4	3
6	7	5	2	1	4	9	3	8
8	9	1	5	3	7	4	6	2
3	2	4	8	9	6	5	7	1
4	8	6	9	5	3	2	1	7
9	1	3	7	2	8	6	5	4
2	5	7	4	6	1	3	8	9

#117

2	6	3	8	9	7	5	1	4
1	4	5	2	3	6	7	8	9
7	8	9	4	1	5	2	3	6
3	7	2	6	8	1	4	9	5
8	5	1	9	2	4	6	7	3
4	9	6	5	7	3	8	2	1
5	3	7	1	4	8	9	6	2
6	2	8	3	5	9	1	4	7
9	1	4	7	6	2	3	5	8

#118

1	6	8	2	3	5	4	7	9
9	5	7	4	1	6	3	2	8
2	4	3	7	8	9	1	5	6
3	9	4	6	2	8	5	1	7
7	8	5	9	4	1	2	6	3
6	1	2	3	5	7	8	9	4
4	7	1	8	6	2	9	3	5
8	2	9	5	7	3	6	4	1
5	3	6	1	9	4	7	8	2

#119

7	5	9	4	3	1	8	6	2
6	1	8	5	7	2	4	3	9
2	3	4	8	9	6	5	7	1
1	7	2	3	4	9	6	8	5
3	9	5	6	1	8	7	2	4
8	4	6	7	2	5	9	1	3
4	6	7	1	5	3	2	9	8
5	2	3	9	8	7	1	4	6
9	8	1	2	6	4	3	5	7

#120

8	5	2	7	3	4	9	1	6
3	1	6	8	9	5	4	2	7
7	9	4	2	1	6	8	5	3
9	8	7	1	2	3	5	6	4
4	2	3	5	6	9	7	8	1
1	6	5	4	7	8	2	3	9
2	3	1	9	5	7	6	4	8
5	7	8	6	4	1	3	9	2
6	4	9	3	8	2	1	7	5

#121

8	1	6	3	5	7	9	2	4
2	5	9	4	6	1	3	7	8
3	4	7	2	8	9	5	1	6
4	6	1	5	9	3	2	8	7
9	8	2	7	1	6	4	3	5
7	3	5	8	2	4	6	9	1
1	2	8	9	4	5	7	6	3
5	9	3	6	7	8	1	4	2
6	7	4	1	3	2	8	5	9

#122

9	2	3	1	8	7	5	6	4
8	4	5	9	2	6	1	7	3
1	6	7	3	4	5	8	9	2
2	8	9	4	1	3	6	5	7
3	5	6	8	7	2	9	4	1
7	1	4	5	6	9	2	3	8
4	7	2	6	5	1	3	8	9
5	9	1	7	3	8	4	2	6
6	3	8	2	9	4	7	1	5

#123

2	4	7	6	5	8	3	9	1
1	5	8	9	2	3	4	6	7
9	3	6	7	1	4	5	2	8
3	9	5	2	7	1	6	8	4
4	6	1	8	3	5	9	7	2
7	8	2	4	6	9	1	3	5
5	1	9	3	8	2	7	4	6
6	2	3	1	4	7	8	5	9
8	7	4	5	9	6	2	1	3

#124

5	6	7	1	2	8	3	4	9
2	3	8	4	5	9	7	1	6
4	9	1	3	6	7	2	5	8
6	7	9	2	8	4	1	3	5
8	2	3	5	7	1	9	6	4
1	5	4	6	9	3	8	2	7
3	8	5	7	1	6	4	9	2
7	1	2	9	4	5	6	8	3
9	4	6	8	3	2	5	7	1

#125

1	5	4	2	6	8	3	7	9
8	2	9	3	4	7	1	5	6
6	7	3	9	1	5	4	8	2
4	6	8	5	7	1	2	9	3
2	9	7	8	3	6	5	1	4
5	3	1	4	9	2	7	6	8
3	1	5	6	2	9	8	4	7
7	4	6	1	8	3	9	2	5
9	8	2	7	5	4	6	3	1

#126

3	8	2	6	5	7	4	9	1
6	1	9	4	8	3	7	2	5
4	7	5	9	1	2	8	3	6
1	9	3	5	7	4	6	8	2
7	2	8	1	6	9	5	4	3
5	6	4	2	3	8	1	7	9
8	3	6	7	2	5	9	1	4
2	4	1	8	9	6	3	5	7
9	5	7	3	4	1	2	6	8

#127

9	1	5	4	2	7	6	3	8
6	7	2	3	8	1	5	9	4
4	3	8	5	6	9	7	1	2
3	9	7	6	5	4	8	2	1
5	2	4	7	1	8	9	6	3
1	8	6	9	3	2	4	5	7
2	4	9	1	7	5	3	8	6
8	5	3	2	4	6	1	7	9
7	6	1	8	9	3	2	4	5

#128

5	7	2	4	8	9	6	1	3
3	4	6	1	2	7	9	5	8
8	9	1	6	3	5	7	2	4
2	6	5	9	4	8	1	3	7
7	1	9	5	6	3	8	4	2
4	8	3	7	1	2	5	9	6
9	3	7	8	5	4	2	6	1
6	5	4	2	7	1	3	8	9
1	2	8	3	9	6	4	7	5

#129

5	4	8	6	7	9	3	1	2
9	2	3	4	8	1	5	6	7
1	6	7	5	2	3	4	8	9
4	5	9	2	3	8	6	7	1
6	8	1	7	9	4	2	3	5
3	7	2	1	6	5	9	4	8
7	3	6	9	1	2	8	5	4
8	9	5	3	4	7	1	2	6
2	1	4	8	5	6	7	9	3

#130

5	9	4	1	2	7	8	3	6
8	6	1	9	3	5	4	7	2
2	7	3	4	8	6	1	9	5
6	4	9	3	7	8	2	5	1
1	3	5	2	9	4	6	8	7
7	2	8	5	6	1	9	4	3
9	8	7	6	5	2	3	1	4
3	1	6	7	4	9	5	2	8
4	5	2	8	1	3	7	6	9

#131

9	2	7	1	3	4	8	6	5
1	8	3	7	5	6	9	2	4
4	5	6	8	9	2	7	1	3
7	6	5	4	8	3	1	9	2
3	1	8	2	6	9	4	5	7
2	9	4	5	7	1	3	8	6
5	7	2	9	4	8	6	3	1
6	4	9	3	1	5	2	7	8
8	3	1	6	2	7	5	4	9

#132

5	1	4	8	2	6	9	3	7
3	8	9	1	4	7	6	2	5
6	2	7	9	3	5	4	8	1
4	5	6	3	8	1	2	7	9
7	9	8	2	6	4	5	1	3
1	3	2	5	7	9	8	6	4
8	7	3	4	9	2	1	5	6
9	6	5	7	1	8	3	4	2
2	4	1	6	5	3	7	9	8

#133

3	4	5	9	1	6	2	8	7
8	1	6	7	5	2	3	4	9
7	9	2	3	4	8	5	6	1
6	5	8	1	7	3	4	9	2
4	2	1	6	8	9	7	5	3
9	3	7	4	2	5	8	1	6
1	7	9	8	3	4	6	2	5
5	8	3	2	6	1	9	7	4
2	6	4	5	9	7	1	3	8

#134

4	3	2	7	1	5	8	9	6
1	8	6	4	2	9	7	3	5
5	7	9	3	6	8	1	2	4
2	6	8	5	7	3	9	4	1
7	4	1	6	9	2	5	8	3
9	5	3	8	4	1	6	7	2
6	1	4	9	3	7	2	5	8
3	9	5	2	8	6	4	1	7
8	2	7	1	5	4	3	6	9

#135

8	4	5	1	9	6	3	2	7
2	6	9	3	7	8	4	5	1
7	1	3	2	5	4	6	8	9
3	2	4	7	1	9	8	6	5
5	8	1	4	6	2	7	9	3
6	9	7	5	8	3	1	4	2
4	7	2	6	3	5	9	1	8
9	3	6	8	2	1	5	7	4
1	5	8	9	4	7	2	3	6

#136

4	7	9	5	2	1	6	8	3
8	1	6	3	9	7	4	5	2
5	2	3	6	4	8	7	9	1
9	8	1	4	6	5	2	3	7
2	3	5	7	1	9	8	4	6
6	4	7	8	3	2	9	1	5
7	5	2	9	8	3	1	6	4
3	6	8	1	7	4	5	2	9
1	9	4	2	5	6	3	7	8

#137

4	5	9	3	7	1	2	8	6
1	6	8	5	2	9	3	4	7
2	3	7	4	6	8	5	9	1
5	7	6	1	8	3	4	2	9
3	9	2	6	4	5	7	1	8
8	1	4	7	9	2	6	3	5
6	2	5	8	1	4	9	7	3
7	4	1	9	3	6	8	5	2
9	8	3	2	5	7	1	6	4

#138

1	7	4	6	2	8	5	3	9
5	6	8	7	9	3	4	1	2
9	2	3	5	1	4	6	7	8
8	3	5	9	7	6	1	2	4
7	9	1	4	5	2	8	6	3
2	4	6	3	8	1	9	5	7
3	1	2	8	4	5	7	9	6
6	8	7	1	3	9	2	4	5
4	5	9	2	6	7	3	8	1

#139

2	6	8	3	7	4	5	1	9
1	7	3	5	9	8	6	2	4
9	4	5	1	2	6	3	8	7
3	1	7	2	5	9	4	6	8
4	9	2	6	8	1	7	3	5
5	8	6	4	3	7	1	9	2
8	2	1	7	6	5	9	4	3
6	5	9	8	4	3	2	7	1
7	3	4	9	1	2	8	5	6

#140

1	8	9	5	2	3	7	6	4
2	5	4	6	7	9	8	3	1
6	3	7	4	8	1	9	2	5
4	7	1	8	5	2	6	9	3
8	9	5	3	6	7	4	1	2
3	2	6	9	1	4	5	7	8
7	6	8	1	3	5	2	4	9
9	1	2	7	4	8	3	5	6
5	4	3	2	9	6	1	8	7

#141

2	6	8	7	3	9	5	4	1
7	5	1	6	2	4	3	8	9
3	4	9	5	8	1	6	7	2
1	9	6	2	4	5	7	3	8
4	3	7	1	6	8	9	2	5
5	8	2	9	7	3	1	6	4
8	1	4	3	9	6	2	5	7
9	7	3	8	5	2	4	1	6
6	2	5	4	1	7	8	9	3

#142

6	4	1	5	8	2	7	9	3
7	8	9	3	6	4	1	2	5
2	3	5	7	9	1	8	4	6
5	1	7	6	2	8	4	3	9
8	2	4	9	7	3	5	6	1
3	9	6	1	4	5	2	7	8
9	5	2	8	3	7	6	1	4
4	6	8	2	1	9	3	5	7
1	7	3	4	5	6	9	8	2

#143

6	8	9	4	2	1	7	3	5
1	7	3	8	9	5	6	2	4
2	4	5	6	3	7	8	1	9
4	6	8	7	5	3	2	9	1
3	2	1	9	8	4	5	6	7
9	5	7	2	1	6	3	4	8
5	3	6	1	4	8	9	7	2
7	9	4	5	6	2	1	8	3
8	1	2	3	7	9	4	5	6

#144

9	4	8	3	7	1	5	6	2
7	5	2	4	9	6	3	8	1
6	3	1	2	5	8	7	4	9
1	6	9	5	2	3	4	7	8
8	7	5	6	1	4	9	2	3
3	2	4	7	8	9	6	1	5
2	9	6	8	3	7	1	5	4
4	8	3	1	6	5	2	9	7
5	1	7	9	4	2	8	3	6

#145

8	1	3	5	2	4	9	7	6
4	9	7	3	6	1	5	8	2
2	5	6	7	8	9	1	3	4
3	4	8	6	7	5	2	9	1
7	2	1	4	9	3	6	5	8
5	6	9	8	1	2	3	4	7
6	7	2	9	5	8	4	1	3
9	8	4	1	3	6	7	2	5
1	3	5	2	4	7	8	6	9

#146

1	5	6	2	3	4	8	9	7
9	8	4	5	6	7	2	3	1
3	2	7	8	9	1	4	5	6
2	4	1	6	7	5	3	8	9
5	7	8	9	1	3	6	4	2
6	9	3	4	2	8	7	1	5
4	1	2	7	8	9	5	6	3
7	3	5	1	4	6	9	2	8
8	6	9	3	5	2	1	7	4

#147

1	6	5	9	7	3	4	2	8
8	3	4	2	1	6	5	9	7
7	9	2	4	8	5	6	3	1
6	1	3	7	2	9	8	4	5
9	2	8	5	4	1	7	6	3
4	5	7	3	6	8	9	1	2
2	7	6	1	5	4	3	8	9
3	8	1	6	9	7	2	5	4
5	4	9	8	3	2	1	7	6

#148

2	3	4	5	7	8	9	6	1
9	6	7	1	3	4	2	5	8
1	5	8	6	9	2	4	7	3
3	7	9	4	6	1	5	8	2
4	1	5	2	8	3	6	9	7
6	8	2	9	5	7	3	1	4
5	2	3	7	1	6	8	4	9
7	4	6	8	2	9	1	3	5
8	9	1	3	4	5	7	2	6

#149

6	1	2	8	3	4	7	9	5
4	7	3	9	5	2	1	6	8
8	9	5	6	7	1	2	3	4
2	6	4	7	9	3	8	5	1
7	3	9	1	8	5	4	2	6
5	8	1	2	4	6	9	7	3
9	2	6	5	1	8	3	4	7
1	4	7	3	6	9	5	8	2
3	5	8	4	2	7	6	1	9

#150

2	1	5	3	4	6	8	7	9
3	4	8	5	7	9	1	6	2
6	7	9	2	8	1	3	5	4
5	8	3	6	9	4	2	1	7
9	2	7	1	3	5	4	8	6
4	6	1	7	2	8	5	9	3
1	9	2	4	5	7	6	3	8
7	5	4	8	6	3	9	2	1
8	3	6	9	1	2	7	4	5

Telegraph Road
ENTERTAINMENT